劉福春・李怡 主編

民國文學珍稀文獻集成

第四輯

新詩舊集影印叢編 第150冊

【朱溪卷】

天鵝集

上海：人間書店 1928 年 4 月初版

朱溪 著

【劉冠悟卷】

回憶中底她
（文藝詩選）

上海：革新書店 1928 年 4 月出版

劉冠悟 編

花木蘭文化事業有限公司

國家圖書館出版品預行編目資料

天鵝集／朱溪 著　回憶中底她（文藝詩選）／劉冠悟 編 -- 初版 --
新北市：花木蘭文化事業有限公司，2023〔民 112〕
116 面／106 面；19 ×26 公分
（民國文學珍稀文獻集成 · 第四輯 · 新詩舊集影印叢編　第 150 冊）
ISBN 978-626-344-144-6（全套：精裝）
831.8　　111021633

ISBN-978-626-344-144-6
9786263441446

民國文學珍稀文獻集成 · 第四輯 · 新詩舊集影印叢編（121-160 冊）
第 150 冊

天鵝集
回憶中底她（文藝詩選）

著　　者　朱溪／劉冠悟 編
主　　編　劉福春、李怡
企　　劃　四川大學中國詩歌研究院
　　　　　四川大學大文學學派
總 編 輯　杜潔祥
副總編輯　楊嘉樂
編輯主任　許郁翎
編　　輯　張雅淋、潘玟靜　美術編輯　陳逸婷
出　　版　花木蘭文化事業有限公司
發 行 人　高小娟
聯絡地址　235 新北市中和區中安街七二號十三樓
　　　　　電話：02-2923-1455／傳真：02-2923-1452
網　　址　http://www.huamulan.tw 信箱 service@huamulans.com
印　　刷　普羅文化出版廣告事業
初　　版　2023 年 3 月
定　　價　第四輯 121-160 冊（精裝）新台幣 100,000 元

天鵝集

朱溪 著

作者生平不詳。

人間書店（上海）一九二八年四月初版。原書三十六開。

天鵝集
朱溪著

張深著

天鵝集

人間書店印行

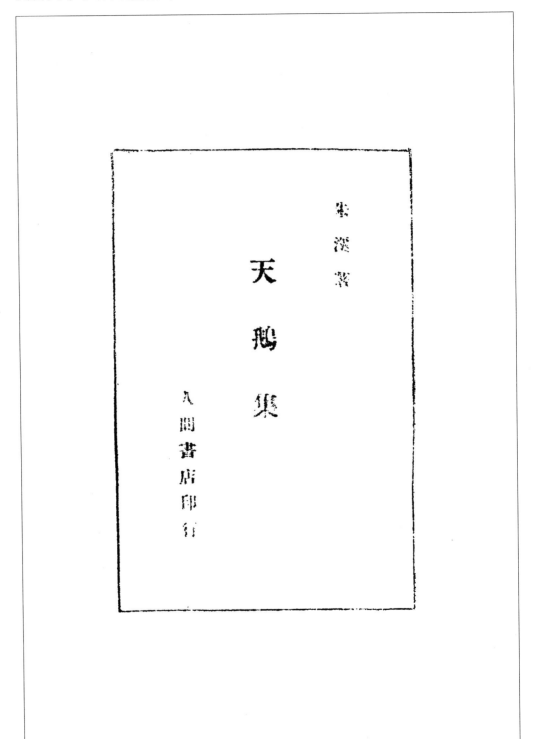

獻給我的沉默的
永遠的「友人」L.H.

天鵝集

一

記得前日我還是一個活潑天眞的青年，那時我終日在樹林裏射擊鳥雀，在深山上追逐野獸，在花叢中捕捉蝴蝶。
昨日我正在如此遊玩，啊，天鵝，你的美麗像是春雷響後的毒蛇，牠蜷藏在道旁，把我咬傷。
毒汁從牠的尖齒流入我的血管，這無助的身軀內狂奔着火苗一般的煩惱。

從前的心情死去了，從前的快樂也永別了。我于今呻吟地倒在深谷裏挨受這血流不止的傷痛！

二

這是深夜時節，全世界都安睡在寂靜之神的搖籃之中。

我獨自倚在窗前。 涼風陣陣吹來，牠帶給我花的香味。 我凝望着那衆星中一粿又黯又淡的埋怨：

『聰明的星星，誰教你學會我的女郎的沈默？惹得我到這夜午也還不捨得去睡眠！』

這星星的眼簾稍爲下垂，她那清白的頰上汎紅着一朵五月的玫瑰。

『可愛的女郎喲，告訴我，這在我心中燒着的火炬，曾否鍍染你今宵的甜夢，有如夕陽鍍染那輕淡的浮雲？』

三

我可愛的女郎喲，你看見了嗎？

北風有如死神的長劍，牠無情地在殺害這世界上的生命。

尖禿的梧桐在哭她失去的子息，忘命的野草在咒詛命運。一個

赤身的乞丐在用他最後的力量擊着門環：

『仁慈的主人，請你讓我在你的馬廐中容身，救一個弱小的生命

逃免這厲寒之刀刃。』

我可愛的女郎喲，你看見了嗎？

四

一只油將完盡的燈火立在案頭。
我在一面鏡中照見了自己的靈魂。 水晶般的淚珠自他的頰上滾滾而下。 我驚奇地問道：
『可憐的孩子，你爲什麼這樣悲哀？』
一個無聲息的答覆降在我耳上：
『我渴望依伏在天鵝的翼下，但是我沒有翅翼，飛不近她，她也聽不見我的歌唱。 仁慈的先生，你可以指示我一條道路嗎？』
我笑了，我說：
『容易的很，你把你的空夢撲滅好了。』

有如一陣和風吹落葉上的宿雨，我的話搖下了一串淚珠。

『我們不相同的，你不懂得我的煩惱。我早就不想也不敢做這空夢了，但是我有何能力呢？海洋屈服在風神之下，船艘漂浮海水之上，被支派者有何自主的能力呢？』

油盡了，我的心中充滿了疑慮與憂愁。

五

我的天鵝，我的女郎！他們說我是個天眞的孩子，說我沒有煩惱，說我終日伴着快樂。

啊，他們那裏知道我呢？

他們說我是朵美麗的花苞，他們誰也不知道在我心中，蜷伏着一只毒蟲在嚙咬。

他們羨慕我的聰明，我的天鵝，但是我的聰明只會敎我去追捕那不可捉摸的幻影。

啊，他們那裏知道我呢？

他們猜想我是幸福的。

然而，我的天鵝，我若有那幸福的千分之一時，我當也心滿意足了。

六

清晨我隨着他們下田。大家說說笑笑，走近田園。他們站在田塍上，收起煙袋，脫下草鞋，束緊腰帶。有一位望着面前的田園嘆道：

『你看，這番夏雨，討巧的倒是野草，牠們長得多快！』

我們開始工作，草鋤一下下地把土翻着。

我想，野草不算什麼；世上沒有一樣東西生長的迅速趕得上青年人對于他的天鵝的愛慕。

過午時候，烏雲四面飛來圍着太陽，好像一羣餓狠搶吃羔羊。

風在逃遁，樹林裏聽見牠的號聲，牠的急步踏倒長成的苞蘿。田野頓時黑黯，雷電開始在雲裏打架，冰雹好像是他們戰場上的流彈，飛落地上。

我們躲在牛車棚裏，一個年長的同伴在沒法點着煙袋，口中嘆道：

『你看，夏天的風暴多麼勇猛驚人。』

我望着這景色，想道，風暴不算什麼，世上沒有一樣東西的勇猛驚人比得上青年人對于他的天鵝的愛慕。

七

東方的天色漸漸汎白，野地的霧氣漸漸醒來。一個勤勞的園丁，在花下借着這薄弱的微光，察看那將開的花蕊。我獨坐在窗前，在這清潔的大氣中撫慰着我的甜夢。

我夢見你的笑容，我的天鵝，我夢見你的朱唇那樣微微一動。

這是正午時分，牛兒休息在柳蔭的池裏，種田的農人聚集在樹下用他們的午飯。我獨坐在窗前，在這光明的陽光下撫慰着我的甜夢。

我夢見你的笑容，我的天鵝，我夢見你的朱唇那樣微微一動。

月亮高懸在天上，月下的溪水有如銀鍊搖動了發出來的柔聲清響。

像是在天使的聲音，一只看不見的水鳥在歌唱。

爲了你的笑容，我徹夜清醒；我的天鵝，我看見你的朱唇那樣微微一動。

八

我是一個忠僕，我不倦地看守着主人的珠寶。

當太陽正光亮的時節，我把那些珍珠寶貝移在日光下，我把那些美麗的東西陳列那兒，候我的主人回來賞鑒。

當油燈將滅的時節，我猶不嫌勞苦地在用絲綢將牠們拭擦，我對自己說道：

『主人今天是不回來了，明日他定會高興地回來賞玩這些珠寶。』

我是一個園丁，我不倦地爲那將返的主人栽培花草。

從清早起，我就在園裏做我的職分。

黃昏來到，水桶疲倦地停在我身旁，剪子與鋤鈀都躺在我足下。最後的一道陽光映着那雲端，有如一個忠實的工人做完了一日苦工，臉上現着的那種倦意與笑容。　我安慰自己道：

『主人今天不回來了，倘若明天他會回來，他定會得意地來賞看這些花草。』

九

我的父親交給我一匹黃牛，吩咐我日日把牠牽到草原上去牧放。
我的天鵝喲，當我在淸早牽着牠經過你家門前時，請你趕快倚在窗前，我好從你的微笑中領取這一日的歡樂與麵包。

我的父親交給我一匹黃牛，吩咐我日日把牠牽到草原上去牧放。
我的天鵝喲，當我黃昏回來時，請你趕快倚在窗前，我好拿你的微笑來洗去一日的疲勞，我好從你的微笑中領取夜間甜夢的資料。

十

清露還在草上續做夜來的甜夢，剛醒來的太陽在山尖微笑。這正是上學的時候，我却在道旁徘徊，我是有意在這兒等待。

許多女郎匆匆走來，有的唱着早歌，有的在說晨安。我遠遠地看見我的天鵝，她晨來的姿容像一朵雨洗過的芙蓉。就像一只受驚的小兔，我無法止住我心頭狂跳。

雄雞隱約在遠處啼鳴，太陽疲倦地在天邊反顧他一天的行程。這正是散學的時候，我却在道旁徘徊，我是有意在這兒等待。

散學了，活潑的女郎們嬉嬉笑笑地從我身前走過。我遠遠地看見了我的天鵝，金色的夕陽映着她那苗條的身體，她像是人間所讚美的天使。 就像一只受驚的小兔，我無法止住我心頭狂跳。

十一

神

起來，不要儘在這兒悲哭，王喲！

王

我怎麼能夠不悲哭呢，神喲！我的老父王在敵人的刃下流完鮮血。

我的母親從敵人的杯中吞飲毒鴆。

我的妻子的身上寫滿了敵人的汚辱。

我怎麼能夠不悲哭呢？

神

起來，去招集你的兵丁，爲你的家族報仇。

王　他們都戰亡了！

神　那麼起來，返到你的國裏去帶領你的國民。

王　喲！你看不見嗎？敵人的鎖鍊懸在我足上，我于今只是一個無助的俘虜啊！

十二

日子不住地前進。丁香花的氣息已經衰淡，輕豔的桃花也都落盡，剩下滿枝綠葉。但是你的影子在我腦中一日比一日更其康健。那夕陽，那青天，那街道，那在遇見你時的種種色彩，牠們停在我的腦中，有如月裏的斑點。

地球好像停住牠的遊行，每種東西都好像停住不動。我在無論什麽地方，只看見那情景，我的天鵝，就是我們相遇的那一瞬。那情景是十分淸楚，淸楚得如同正午陽光下的花影；那情景是十分生動，生動得如同一個初次離家的靑年的目前的家鄉風景。

十三

黃昏時分，我躺在溪旁沈思着。 天上還有兩片浮雲，水面上漸漸升起一層薄霧，遠處的渡船載滿了回家的農人。

我追念許多高興的情景，又想起一些煩惱的時辰。 忽然一個聲音自我耳旁撩過，我隱約聽見：

『孩子，你撫慰着的是一個空夢，你將來應得的果子是失望的悲痛。』

但是我笑着自語：

『什麼是空夢，當我們在空夢之中領略了空夢的一切情景？ 什麼又是悲痛，當悲痛的自身給與我許多甜蜜的感覺？

我慢慢走回來，心中十分平安。燈光從窗中射着，我看見我的父母同兄弟都在等着我去用晚餐。

十四

常識

青年的靈魂，你身上燃燒着的是什麼？

青年

那是獻給我女郎的熱情。

常識

你爲什麼不去安息，在這深夜裏還在這空中徘徊，像一個迷途的旅者？

青年

我在尋覓我的女郎。

常識

尋着過嗎？

青年

就是那天鵝般的一個。

常識

你把你的熱情的香在她台前焚了嗎？

青年

她還沒有知道有我這樣一個香客。

常識

那麼你是在祈拜一個不識你的女郎？

青年

一個我認識的天神！

常識

這是件平常的事情，有如一個女郎頰上的一滴淚珠。

青年

一滴淚珠！在我，這比東海還要汪洋！

十五

窗前的女郎喲！你的玉貌有如霧裏的遠山，雖然看不清楚，但是我知道，她的美麗蓋過一切世人。

窗前的女郎喲！你的性格有如那溫和的天使，雖然與我們世人沒有來往，但是我知道，她的柔和就像冬日的陽光。

窗前的女郎喲！你的音聲有如夜午的金鐘。雖然我們都入夢了，都聽不見，但是我知道，她的甜蜜有如晨來的甘露。

窗前的女郎喲！無論什麼時候，我是從田裏，或是從那山坳，我遙望着你的窗口：戰慄呵，如像羊羔見着狠羣；卑微呵，如像懺悔者遇見天神；欣樂呵，如像遊子踏進了家門！

十六

正是清早。 我牽着牛向田裏走去，經過我的女郎的後門時，我看見她悲哀地在那兒坐着。

『什麼使你這般悲哀喲？我的女郎。』

『哦，他們說，我家的猪已長大，今天就請一個猪肉店的老板來估價。 但是你知道，這猪是我養大的。』

『我的女郎，猪大了總是要賣的。』

『不，離別了牠，我會像離別了一個好友一般的悲傷。』

一日的工作完了，我牽着牛慢慢回家。 空中飛着幾只蝙蝠，遠處的景物已經看不淸楚。

晚風裏漂浮着一個悽慘的聲音，好像是只迷途的小犢在呼喊牠的母親。

我的女郎坐在炊下的門口痛哭。

『誰欺你，我的女郎？』

『不是，我自己在悲傷。』

『日間已經把牠趕走了嗎？』

『他們把牠抬去了。牠來時只是同只小狗一樣，是我餵牠長大的。』

『每日裏完餵了家中大小，我就來餵牠。

『我知道牠的皮氣，牠愛吃菜根，不愛吃糖。 吃時我不准牠的前蹄踏在食槽裏，牠聽我的話如同我的小弟弟一樣。

『只要我的步聲走近，牠立時起來迎訝。

『哦，牠雖是黑得像只烏鴉，然而牠却同一只小小的白鴿一般溫雅。

『但現是在，牠已擺在那猪肉台上！』

我默然無語，輕輕地吻着她的細髮。

我看見，看見這天眞的心上只盛開着一支愛的花。

十七

幾天前的一個晌午，我正在田裏耘草。　你從那樹下走過，手中持着一籃水菓。

哦，你的影子有如一陣清風，牠驅去這陽光的炎熱。

希望在我心中燃着。　日來只要我在這田裏，我總是希望你再走過那樹底。

從大早起我就希望着，我不時地倚着草鋤，凝視着那你曾踐過的土地。

我的希望隨着夕陽滅熄，也同牠一樣，明日又重新升起。

現在，黃昏又將降臨，我這一日的希望又成一場空夢。
我的女郎喲，明朝，明朝你一定得帶着你的水瓶，來這兒息解我的苦渴。

十八

世上有一樣東西能比愛情，那就是一杯甜酒。只要你把牠灌進你的朱唇，你立時高興，立時心頭活動。

世上有一樣東西能比愛情，那就是一支明燈。只要你把牠放在你的面前，你立時光明，立時失去黑暗。

世上有一樣東西能比愛情，那就是一把鋼刀。只要你把牠刺入你的肉身，你立時流血，立時感到苦痛。

天鵝集

世上有一樣東西能比愛情，那就是夜中甜夢。只要你走進牠的美麗國土，你忘了自己，你敢說出蘊藏的感情。

十九

我栽了一盆野草，一盆不知名的野草。牠的枝頭上生着一些花朵。

一日，我看見綠蕚已經裂開，露出的緊包着的花瓣，有如處女的雙乳。

我自語道：

『此地的蜜蜂太利害，我得把這盆花收藏起來。』于是我把牠捧進房裏，擺在案頭。

一日午后，天氣非常溫和；薰風一陣陣從窗外吹來，大地寂靜得

有如深夜，我伏案微眤，正在半醒半夢，好像紡輪在我耳旁響着，我
醒過來，看見一只膽小的蜜蜂翁翁地飛繞着那支半開的花朵。
我靜靜地看着這幅景象，我又說道：
『你錯了，世上這類事情你的力量是禁阻不了！』

二十

我的聰明是個頑皮的孩子。

我却終日默靜地在培植着我的單思。

我躲避他，有如一個姊姊躲避她的淘氣的弟弟。

一天，我正在用淚珠澆溉那心中的情花，忽然他從我身後跳了出來，壞心眼地大笑着。他說：

『你這無用的東西，儘日裏偷着做這種痴事！』

我的臉上汎起一陣羞紅！我只說：

『走開吧，你一點什麼也不懂。』

的確，他一點什麼也不懂，他不知道我的血是多麼沸騰，是如何跳動。

我不能告訴他：
『這是一束情花，我要把牠戴在我的天鵝的頸上。』
不；我不能告訴他。

廿一

我戴着一個花圈去到異邦旅行。

他們跟在我後面，勸我棄開那花圈● 他們說：

『這是一些汚穢的東西，不能拿來戴在頸上。』

我驚奇地答道：

『朋友，你們錯了，這是頂美麗的花草。』

我後來離了這國度，但我老是奇怪他們的見解。

我讚美着愛情，有如信徒讚美他們的天神。

但是有的人告訴我，說：

『愛情是什麼，一種戴着假面具的衝動。』

我驚奇了，因爲我所讚美的是那麼美麗，那麼神聖。 我說：

『哦，朋友，你不懂得我們年青人的詩文！』

廿二

我在田裏做我日常的工作。當炎日正照得利害的時候，我憩息在一棵樹蔭底下。

我看見我的天鵝在那穹蒼底下飛翔。

哦，看見我的天鵝就是快樂，用不着把她囚在我的籠裏。

夜半，我坐在園裏，月光十分清涼，成熟的桃李送來一陣陣的芬香。

我看見我的天鵝那在月亮下飛翔，好像是從天上下降的天使。

哦，看見我的天鵝就是快樂，用不着把她囚在我的籠裏。

廿三

我雖終日如此想她，但我並不希願有更好的境遇。
我知道，一個貧窮的街頭遊子永沒有戴皇冕的日子。
我知道，我的女郎於我只有如此；只有永不認識！

我雖終日過着單思的生活，住在夢想的世界裏，但我並不希求我的夢想成爲事實。
我知道，一個貧窮的街頭遊子永沒有戴皇冕的日子。
我知道，我的女郎於我只有如此；只有永不認識！

廿四

我在夢中，我夢見我是一個受傷的戰士。 我正躺在戰場上與死神搏鬥。

這戰場像是一片風暴才經過的果園，屍體像果子一般地摔落在地上。

我的同伴臥在我身旁，他不動的臥着，像我們夜午在帳幕中的時候。

痛苦的手像火苗一般加在我身上，我覺得我的身體漸漸焦爛。

忽然地我的天鵝降臨我的身旁。

她的氣息像是止痛的膏油。

她的聲音恢復了我的創口。
她的目光有如源泉，澆熄了我心內的熱火。
從她的唇上我領回戰前的强壯。
夢醒來，室中的燈火將滅，遠處的更聲正在朴朴。
我在枕上想道：
『有天鵝的青年是多麼幸福！』

廿五

清晨。村裏的人們匆忙地預備下田，因爲這是一歲中最忙的時節。

我也負着鋤鈀，夾在他們當中。

這時草木正像我們這羣青年的農夫，個個的臉上現着一副精神康健的顏色。太陽也好像一雙睡足了的眼睛，照得十分光亮。

我高興的走着，但是誰知道，我在小道上却遇見我的天鵝。晨來她更是美麗，在我清明的眼中就好像面前站着一朵凝着宿露的百合。

陽光映着她的微笑，她的細髮像串成熟的甜果。

她從我身旁走過，沒有望我，因爲她不認識我。

啊，這是心頭的主人，這是我夢中的至友，但是現在她却沒有望我，因爲她還不認識我。我的四肢頓時輭弱，我的心兒沉沒。我一定得立時囘去，我不能再去工作。

天鵝沒有望我，因爲她還不認識我。

廿六

世人頂是愚魯，他們把我送進一所監獄。
這獄裏沒有陽光，只有一只燈火。
獄裏沒有窗戶，透不進一絲薰風。
他們吩咐我在這裏面讀書，但是我的智慧漸漸衰弱，像磚底的野草。
你說他們是不是愚魯，他們教我讀書，但同時窒死我的智慧？
世人頂是愚魯，他們把我送進一所監獄。
獄裏的壁上釘着一些鎖鍊。

獄的大門緊緊閉着。
他們吩咐我在這裏面讀書，但是我的心兒被關在外面，牠依繞着
我的女郎。
你說他們是不是愚魯，他們教我讀書，但同時把我的心兒關在外
面？

廿七

沒有一個人帶我去訪我的女郎，更也沒有一個人把我的名字告訴她。

因爲我像個少女地保護着我的秘密，誰都不知道我的心腸。

我只是看見單思摧殘我的心兒，像一個利害的婆婆對待新娘。

沒有一個人帶我去訪我的女郎，更也沒有一個人把我的情歌帶給她。

因爲我的秘密藏在我心中，正像深淵裏潛伏着的鯉魚。

我只是看見單思摧殘我的心兒，像一個利害的婆婆對待新娘。

廿八

『主人，春天來了，你的花園的花草都發了綠芽。 主人，請你去那兒看看牠們生長。

『主人，儘日的薰風從南方吹來，你的花園的花草都結了滿枝的蓓蕾。 主人，請你去那兒看看牠們美麗的將來。』

憨僕人的熱誠的懇請沒有聽見答語，因爲他的主人正在酣睡。

『主人，一陣陣的蜜蜂飛來我們園裏，花兒開得正豔麗 。主人，趁這時候去那兒觀賞觀賞。

『主人，三兩只黃鶯正在啼鳴，好像一些妝䏻的女郎，花兒亭亭地在風中迎訝。主人，趁這時候去那兒觀賞觀賞。』

這僕人的熱誠的懇請沒有聽見答語，因爲他的主人，正在專心看書。

時期到了，花兒漸漸萎落，有如些老邁的婦人，牠們的皮膚已是憔悴，牠們的顏色也都消盡。

就連那些蜂蝶也棄了牠們，去尋覓新的快樂。

主人忽然想起花園，他趕去問那僕人，他聽見這樣一個聲音：

『完了，什麼都完了。』

廿九

我們村後有只小山。
春天，牠被着一件碧綠的衣裳，戴着滿頭鮮花，涼雨初晴，牠好像一個新妝的姑娘。
我的女郎常常邀着她的同伴，攜着竹籃，去那兒拔折野荀，尋覓春蕨。
我在田裏芸稂，我的心中十分快樂。
我遠遠望着她們，她們像是一些撒花的仙女。
我們村後有只小山。

秋日，草木微微轉黃，叢木中的紅果結成球球。 夕陽照着，牠好像一座金塔。

我的女郎常常邀着她的同伴，背着布袋，去那兒剪摘毛栗，採拾山楂。

我在刈過的田裏堆草，我的心中十分快樂。

我隱約聽見她們的歌聲，好像和風送來遠處的胡琴。

三十

一天的工作完了。牛兒在欄裏嚼草；人在門口乘凉；月亮正上梢頭；溪水還不住的在潺流。

牛兒靜悄悄的嚼草，那是牠們的快樂。人們在談天說笑，那也是安慰他們白日的辛勞。淡淡的月光，籠罩着這煙霧迷離的一切，這可以叫牠們漸漸的消散了烈日的燥熱。

我獨自躺在草原上感到說不出的煩愁。一切都能安靜，一切都有休息；只有我的心永是翻騰不歇！

我無心去聽小蟲的樂唱，我不願去聽苦鳥的哀歌；我只是一刻不能忘記了我的天鵝。

夜已漸漸深靜，月已落在山頭，人們都進了他們熱悶的蒸籠。
迷村的野狗，不知被什麼逼得在斷的如狂。
我希望在月裏能看見我的天鵝的姿容，在溪流的聲中能傳來她的
嬌音；可是這都不成，我只有伴着苦鳥的哀歌在心頭想念我的天鵝。

卅一

當你遇見你的女郎的時候，你曾否覺得世界頓然光明，你曾否覺得目前立着一盞明燈？

啊，朋友，若是不然，那你是眞可憐。

當你聽見你的女郎的聲音的時候，你曾否覺得心頭驟然跳動，你曾否覺得全身的血像瀑布一般奔騰？

啊，朋友，若是不然，那你是眞可憐。

當你想着你的女郎的時候，你曾否在夜半的枕上翻來覆去，你曾否夢着一些希奇的情景？

啊，朋友，若是不然，那你是眞可憐。

生命本是空洞，你會否把牠塡實？　你知道，塡實牠不用去找事業，也不靠着尋求學問；牠所須要的是那一些可笑的孩子氣的舉動。

啊，朋友，若是不然，那你是眞可憐。

卌二

白日我在街上，車像歸欄的牛羊，人像出巢的馬蟻，他們的聲音，又像是噪林的烏鴉。但是我却覺得這景象十分荒涼。
啊，如果不有你在這腦中，我的天鵝，我怎能如此容忍？

夜半我徘徊胡同口，天上沒有星星，也沒有月亮，黑陰陰的胡同像一個鬼洞，冷靜靜的房屋像一些墓塚。大地沒有一絲聲息，好像死神已經降臨。
啊，如果不有你在這腦中，我的天鵝，，我怎能如此容忍？

卅三

我如何能禁得住流淚！
當我看見我所思慕的女郎，圍在一羣闊氣的青年當中，微笑着同他們談天。
他們外表的體面刺在我的心上，好像一把利劍；她那增進他們興致的美麗，好像一勺沸油，一點點滴入我的眼球。
啊，我如何能禁得住流淚！

我如何能禁得住流淚！
當我想到有一天，我所思慕的女郎，投在一個別的青年的懷中，做他的溫柔的情人，或是成爲他的賢美的妻子。

她的情愛浪費在他身上，她的肉體被他糟塌，好像一只醜惡的黃蜂，嚙落雪梨一樣。

啊，我如何能禁得住流淚！

卅四

看呵！我的同伴有多麽的快樂。
他們騎在牛背上，亂唱山歌，互相說些玩笑。
他們的牛在慢慢地移動着吃草。
看呵！我的同伴有多麽的快樂。

看呵！我的同伴有多麽的高興。
黃昏，他們趕着牛羣回來，隨路呼喚那留戀在後面遊玩的小犢，
他們的聲音充滿了慈愛，他們的臉上光耀無憂的笑容，如像夕陽映照一片白雲。

看呵！我的同伴有多麼的高興。

看呵！我的同伴有多麼的幸福。

晚飯已經用完，浴後的身體十分涼爽。　他們坐在草棚前的草坦上，搖着蚊扇，靜聽那年老的農人說古道今。

當夜午時節，月亮照着全村。　繫在樹下的牛臥着不動，左近聽不見一點聲音。　他們全都入睡了，那甜蜜的睡眠永沒有夢魘來擾侵。　一直要到鷄鳴，他們才醒來開始享受那滿意的生命。

看呵！我的同伴有多麼的幸福。

卅五

你是聖殿上一位天神，
我是階下一個誠心的香客。
也曾有罪惡的念頭湧現我的腦中，也曾有不潔的思想盤桓我心頭；我做過不少的惡事，我犯了不少的罪過。
但是，于今，我跪在這聖殿的階前，我的心澄清得有如不動的清泉。
我的天鵝，你是宇宙間最有權柄的主宰！
你是聖殿上一位天神。

我是階下一個誠心的香客。

我這個輭弱的靈魂受不住試探侵犯，有如一片漂舞着的柳絮，那暴風往往將我吹得無影無踪。

但是，于今，我跪在這聖殿的階前，好像一只落了錨的帆船，這微微的波浪顯不出一絲能力。

我的天鵝，你是宇宙間最有權柄的主宰！

卅六

有一次我曾做過一個奇夢：

炎夏深夜，我同我的女郎漂游在一個美麗的湖上。天上滿是星星，遠處有幾點紅光，那是湖畔的路燈。小船停在荷花當中，含苞將放的花朵直亭亭立在周圍，好像一些無言的宮女，又像是一羣沉思着的詩神。清香隱藏在黑暗裏，有意親近我們。我們細語撫慰，像是一對水上鴛鴦。

啊！那時辰，憂慮完全消盡，自己也不知是在人世，還是在仙境。

有一次我曾做過一個奇夢：

初秋夜半，在古殿的階前，默然地坐着我與我的女郎。她斜依在我的懷中，細髮靠在我的肩上。大理石的牌坊隱約地站在前面，像一隊侍衛。我凝視着南方晶晶的明星，那明星好像也是一個生靈。秋風吹來，左近的柏林開始奏着柔美的仙樂。天地好像一對懷抱着的愛人，靜靜地沒有一絲聲音。我們的心互相在談天，牠們此時不再勞神口舌。

啊！那時辰，憂慮完全消盡，自己也不知是在入世，還是在仙境。

卅七

我的天鵝在街上行走，我追隨在她後面。我莊嚴地追隨着，好像跟着一位領我上天的神仙。我注視着那被她踐着的泥土，啊，我願把這些泥土掘來藏起。待我將死時，將這些親愛的粉末撒布身上，再去安眠地底。

我的天鵝在與她的同伴談笑，我站在近旁望着。她不知道我在望她，她的同伴也不知道。我凝視着她的朱唇，領略那裏面發出來的笑聲。啊，我如果能一度吻這朱唇，就是在死之國中，我也還永久做着這甜蜜的夢。

卅八

我是一個窮苦的學生，我沒有體面的衣裳，也沒有飽滿的錢囊。

有時，我一走出我的小房，離開了我的書案，啊！我立時看見我在這世上是如此低微。天鵝喲，那時候惟有思念你，我才能得着安慰。

有時，我偶爾投身華麗的廳堂，或是被引進富貴的人家；那四周的環境使我害羞而且氣憤。天鵝喲，那時候那環境更令我思念你，好像一個初下獄的囚犯思念他的親人。

卅九

女郎，你聽見了嗎？
他是一個熱心的香客，他那疲倦的雙足永是向着你的聖座朝行。
當黑夜來時，他祈禱着：
『神聖的天鵝，請降臨我的目前，你是黑夜裏惟一的光明，來，
照着我這崛崎的山路。』
女郎，你聽見了嗎？

女郎，你聽見了嗎？
他是一個虔敬的香客，他誠實的靈魂永是伏拜在你的足下。

天鵝集

當他迷途林中，他祈禱着：
『神聖的天鵝，給我力量，請降臨我目前，來，引領我走出這迷人的深林。』

女郎，你聽見了嗎？

四十

這是梅雨時節。連日細雨紛紛，沒有停住的時候。道旁的水渠都滿了，草原上的低窪也變成水池。溪水高漲起來，終日像北風一般狂吼着。

什麼東西都變成濕的，無數的雨點却仍然不住地落着。一個青年獨倚在樓頭，窗戶是開着的，涼風時時送進整陣細雨。他仰首望望那很厚的灰色天空，又低頭看看這靜默默的雨景。一切的東西都好像在悲愁，這世界眞是淒涼。他覺得必須要靠近他的女郎，他覺得有無數的話要向她訴說，好像一個被欺的孩子思念向他親娘訴說一樣。

一切東西都是濕的，他的臉上也是濕的。啊，這正是梅雨時節，蒼天不計算他的雨點。詩人也難愛惜他的淚珠！

四十一

這是插秧時節。
清晨，我隨着他們匆匆下田，但是等到他們的手足已忙碌地開始工作，我却仍然遲遲在途中徘徊。 有一個人摧着說：
『快去吧，不然會誤了你的工作。』
『我在尋找一條失了的秧千。』我說：
但是那是句謊話，我是在這兒等着你，我的女郎。 等着看你走過這路旁。
啊，女郎，清晨見你一下，這一天的工作就會都有力量。

黃昏將近，疲倦了的農人，帶着農具歸村。我却坐在村口的道旁，假裝在整理我的草鞋。同伴說：

『快走吧！』

『不成，草鞋出了毛病。』我說：

其實，我寃了這可憐的草鞋，我是在等着你，我的女郎。我知道這時候你也將回家。

啊，女郎，做完了一天吃勁的工作，我更是渴望着見你下。

我的女郎，我算得着你來往的時間，我猜得着你要經過的道路。

我有種種的計策使我看見你，我的女郎。

誠實的農人只說我是個小小的孩子，他們遲鈍的腦筋誰個懂得我的快樂，誰個知道我的狡滑？

四十二

有了整整五天，我沒有看見我的女郎。

我儘日在田中工作，我的心魂早已不在我的身上。犂是如此沈重，牛也漸漸學壞，他走得遲慢而且不穩。田好像變成石頭，死也耕不鬆。牠的面積也好像一天比一天長大，看去已像一片海洋。

太陽病了嗎？牠爲什麼老是停留在天上？

我怎麼能再工作？啊，我必須得見見我的女郎。

爲了探聽見我的女郎，我跑到近她的鄰家。這正是黑夜，一支油盞放在堂前，主人湊在那幽黯的燈下，在翻着一本日曆。他向我說：『初四就立夏，你家夏種都已種了罷？』我想問他我的女郎，但是我怎能問他。

我走進他家廚房，他的妻子正在洗碗筷。一只黑狗在她足旁的食盆裏吃着晚餐，一只黃花的猫團睡在煙鹵底下。我說：『你們東鄰……』

她驚奇得放下碗筷。啊，我一個靑年怎能打聽人家姑娘。

我失望地回到家中。我不能再睡眠，因爲我已整整五天沒有看見我的女郎。

四十三

我在道旁遇見我的女郎。　我的心像一條被網着的鯉魚那樣跳躍。

我無法表示心中無限的崇愛與敬仰。　我癡立着望她。

她是那般溫雅，她向我微微一笑，那一笑頓時把世界照亮。

但是她的同伴却低頭耳語地笑她，使她臉上現出一層羞紅。

頑皮的女郎喲，我不准你們得罪我的女郎。　你們是聰明的，你們願意得我的感謝，還是願意受我的詛罵？

我告訴你們，爲了我的女郎，我的手是鐵做的，我决沒有寬讓。

四十四

我坐在溪邊釣魚，手中持着一根魚竿，足旁放着一只竹筐。

我的女郎也在對岸，她跪在一塊白石上，纖纖細手洗着青綠的蔬菜。

碧青的溪水，倒映着幾片不動的浮雲。一只翠鳥停在柳枝上，息靜地守着游近的魚蟲。聽不見一絲吵鬧的聲音，大地好像一個強壯的嬰兒，熟睡在這美的景色的搖籃中。

我放任食餌的小魚，我靜靜望着我的女郎，她那柔美的姿態，那投在水中的倩影。被她激起的水紋，一圈圈帶着她的笑容走來搖動我的釣絲。

不久，黄昏到了（因爲在她的面前，你永是聽不見時光的步聲。）
我囘到家中，我帶着一只空空的魚筐，一個裝滿快樂的心兒。

四十五

一日，幾個青年朋友在談着我們村中的女郎。 說到我的天鵝，
他們說：
『那個常穿淺青色的女郎眞眞美麗。』
他們都以爲我不認識她，我說：
『美麗嗎？我不知道。』
我心中却暗暗的十分快樂。
有一個青年跳起來叫道：
『不，他怎能不知道，那個女郎在道旁遇他時曾向他微笑。』

我假裝驚訝，我說：
『妯向我微笑嗎？ 我不知道。』
我心中却暗暗十分快樂。

四十六

黃梅時節，儘日下着雨。田溝與水渠開始唱起快樂的歌調；我們村旁的小河也高興了，一隊隊笑着的水浪日夜向前追逐。

啊，什麼東西高興都是有個原故的。我的天鵝，你知道，我的高興只在你望我一下。

天晴了。金色的太陽鍍染着雲端，清潔的大地像一棵剛洗好的白菜。薰風從遠地遊來，園中的花草拭落那停在睫毛上的淚珠，開顏微笑。

啊，什麼東西快樂都是有個原故的。我的天鵝，你知道，我的快樂只在你𡁻我一下。

四十七

我的天鵝，他們說天時變得迅速；他們說才脫下單衣，于今已是雪花滿地。但是我却說，自然是如何地遲鈍：發芽，結蕊開花，直到零落得一樹枯枝，這中間有多麼久長！

啊，他們不知道。只有我的靈魂的脚步才眞是飛快。因爲只要你的影子在我目前稍一閃動，牠立地帶着我由嚴冬跑入仲夏！

四十八

如果我是一座時鐘，在夜午人靜時候，我要獨自地唱道：
的答，的答，愛呀，愛呀！

如果我是一陣北風，在冬天冷凍時候，我要狂奔着唱道：
呼嗹，呼嗹，愛呀，愛呀！

如果我是一只小狗，對着來往的人們，也要熱烈地叫道：
汪汪，汪汪，愛呀，愛呀！

但是我是一個青年，被着這人的外形，我就該假裝譏笑愛情，以免人家的猜疑，躲避羞恥。

四十九

假若你是只蜘蛛，我的天鵝，我情願做只小蟲。我會自己飛來束縛在你的網上。我要偷看你姿容，看你如何抽絲；我要在你的網上做一個甜蜜的夢。那時，就是眞個滅亡了，我也甘心。

假若你是個武士，我的天鵝，我要來到你的面前，假裝是你的仇人。我願在你的刀下受一個創傷，我好將那鮮血染紅了你的鐵甲；我要告訴你那深藏在心中的秘密。那時，就是眞個滅亡了，我也甘心。

五十

我是多麽害羞啊，我的同伴于今個個都知道我的秘密。知道有什麽要緊呢？但是他們說：

『不要傻，她是塊天鵝肉，你是只癩蝦蟆。』

不用他們說，我早知道是這樣。他們于今向我說這話，令我多麽生氣，令我多麽害羞！

我愛我的天鵝，她永不會知道的；就是知道，又不是同不知道一樣？

我愛她，我在她的名字上感覺到不少力量。他們都以爲：必須她愛你，你才可以愛她。像我這樣愛慕的心情，他們那能了解？
我的同伴個個都知道我的祕密，我是多麼害羞啊！

五十一

一天工作完罷，我坐在稻場靜靜地思想。我思想着我的天鵝，前天在道旁，她那樣微笑地望我一下。啊，她准是知道我愛慕她。

我的疲倦消退了，啊，這夏夜是如此爽快，如此光亮！

夜深，我躺在牀上靜靜地思想。我思想着我的天鵝，前天在道旁，她那樣微笑地望我一下。啊，她准是知道我愛慕她。

我要起來了，啊，不用再休息，我已有下田功作的力量！

五十二

我思念着我的天鵝，我的天鵝是那般美麗：她的朱唇像一朵吐蕾的玫瑰，她的步態像薰風中的長柳。

啊，我思念我的天鵝，像一個饑餓的乞丐，思念豐美的筵席！

我思念着我的天鵝，我的天鵝是那般美麗：她的聲音像蜂窠裏的甜蜜，她的眼仁像一對夏夜的明星。

啊，我思念我的天鵝，像一個飄零在瑟瑟北風中的靈魂，思念通紅的爐火！

我思念着我的天鵝，這無結果的愛慕只是令我煩惱，這永不實現的虛夢只是迫我流淚。

啊，我思念我的天鵝，像一個病倒牀頭的人，在藥味之中思念健壯的往日。

五十三

我于今是一個漂泊的遊子。我流落在這生疏的城中，就像失迷在海底的一條河魚。我到處受人家的欺侮，滿腔怨憤無處申訴。我也曾起過回家的念頭，但是，我的天鵝，為了你，我情願漂泊在他鄉，過着淒涼的生活。

啊，是家庭不甜蜜嗎？不是的，却是為了你，我情願漂泊在他鄉！

我于今是一個漂泊的遊子。我困住在這叢叢的人海，到處受人家的冷遇，到處感得孤單。父母都遠在家鄉，以為他們的愛兒過着

光明的日子。我也曾想回到他們膝下，但是，我的天鵝，爲了你，
我情願漂泊在他鄉，過着凄涼的生活。
啊，是家庭不甜蜜嗎？不是的，却是爲了你，我情願漂泊在他
鄉！

五十四

我受過種種恥辱，也戴過榮耀的冠冕。我有時覺得高興，有時覺得氣憤，有時也覺得心頭有點熱烈。但是時刻一過，那情感就像浮雲過水，留不下什麼痕跡。惟有你，我的天鵝，我思念你的心情像一塊崖石，牠永遠停在我心中，沒有一時覺不到牠的沈重。

我認識許多女郎，也曾遇見不少好看的姑娘。她們有的令我快樂，有的顯示給我處女的美妙，有的我也愛同她們說說笑笑。但是那都在我心中擊不起什麼波濤。惟有你，我的天鵝，我在你的名下沒有自主的力量，我低着頭如像一個卑微的奴僕。

五十五

這正是臘月。犂鋤都已收藏，牛兒在欄裏吃稻草；勤勞的婦人坐在廚房編織草鞋，閒着的農夫有的聚賭，有的靠近爐旁烘火。全村的人們各自享受他們的幸福。

我終日默默，我終日思念那才過的秋天，好像一個寡婦思念着她死了的獨子。在那些日子，我三兩天在道旁與我的天鵝遇見。

啊，因為久沒有看見我的天鵝，我的心兒漸漸焦乾，像枯籐上一個瓜果。

我走到野外，北風狂奔着，像一匹怒了的公牛；遍地都是黃色，瑟瑟稀林呻吟悲哀。從前豐富的田園，于今土已開裂；從前我的天鵝時來時往的道上，于今沒有一個人影；從前她常洗菜的溪邊，于今已結了一層薄冰。

告訴我，誰個摧害了這美麗的天地，誰個是這般殘忍！

啊，因爲久沒有看見我的天鵝，我的心兒漸漸焦乾，像枯籐上一個瓜果。

五十六

我家東鄰做喜事。

他家門口掛着紅燈籠，堂前懸滿彩布。門套裏坐着一隊鼓手樂人。

穿馬褂的村人匆忙地在道上來來往往。戴花塗粉的村婦也結陣趕來恭喜。她們的孩子高興地吃着糖菓，跑進跑出。

我在堂前遇見一羣裝飾得同花一般的姑娘，他們不吃東西，也不遊嬉，却聚集在一起，談着心，注意新奇的東西。

啊，我的天鵝也在她們當中，她打扮得不像一個鄉村的姑娘，却是一個最美的公主。她們都圍着同她說話，但她却一點不像她們那樣輕浮，也不帶一點土氣。

我看見我美麗的天鵝，我是多麼歡喜！

五十七

我向你說：
『你眞美麗！』
好像湖水上吹過一陣和風，一陣不在意的微笑浮上你的眼睛。
你這樣，啊，我的天鵝，你以爲我的話並不誠懇，你以爲我也曾
用牠去諂媚過別的女郎？
但是你知道，這句話雖是早已被人家說爛，在我的舌頭上牠却是
一個生客。

我向你說：

『我愛你！』

你把頭一扭，你裝做沒有聽見。

你這樣，啊，我的天鵝，你以爲我的話並不誠懇，你以爲我也會用牠去諂媚過別的女郎？

但是你知道，當我說的時候，我的聲音雖是如此微弱，我的心却像一只剛入籠的山雀一般跳動。

五十八

梅雨連日不息地下着，山水像野馬一般怒嘶着衝下來。赭色的溪水已經滿到我家門口。我們集在樓上窗前：田園都已淹沒，道路也都失踪了，遠處小樹立在水中，好像幾個漁夫。平日綠的草原，高低的小坡，現在都沒有了，汪汪洋洋的只有一片洪水。

一些桌，椅，箱，乾草，猪，羊，在急水中衝流過去。靜水上浮着一些白沫。蟲蟻密密地爬在牆上。

大人們皺眉嘆氣，忙着搬運東西。孩子們心中充滿了好奇心，當聽見水還繼續高漲的消息，他們心中更是高興。

洪水已經退落。遍野都塗着一層黃泥，牆上新染了一線水跡。村中的秩序亂極了：男人們匆忙地搬運東西，視察田園；婦人們立在階上互相探問情形，並且互相得意過火地述說一些可怕的時辰。

我在道上遇見我的女郎，這災後的情形令我們覺得更須要親近，我好像覺得這災後的世界更是光明，啊，這時候我覺得我的女郎更是一個可人！

五十九

清晨我去訪我的女郎，我想决意告訴她一句話。途中，我一步步地盤算着，我的心狂跳起來，好像在絕崖上俯視下界。

分別的時候到了，我仍然說不出來，我癡想着。她問道：

『你想什麽？』

『沒有什麽，我想起一句話——』

我决意晚上再去訪她。

晚上，我帶着這句話去訪的女郎，好像一個母親帶着她的疾病的孩子去看醫生。我心中充滿了希望，却又有點恐懼。

唱。

我們並坐廊上，月亮在樹枝上，好像一個金瓜；夏蟲在花籐中歌

『你想着什麼？』

『沒有什麼，我想起一句話——』

我自己也惱怒了，我怎麼說不出牠，就好像一只膽小的毛驢牽不過狹窄的橋樑。

六十

我昨夜躺在牀上，天雷在屋頂隆隆，電光在窗口閃亮；雨點沙沙地，好像行軍的步伐。我喊叫起來，殺，我被迫的青年，向着你的仇敵厮殺。我青年的英雄喲！起來，誰給我這些憂愁，誰給我這些煩惱？起來，把牠們完全殺退！青年的英雄，隨着那沙沙的步伐前進啊！

今晨清早醒來，朝陽光明地照在牆上，窗外幾只鳥雀在歌唱。好像一只被棄的小狗，趁着黑夜逃回他主人的家，再一度膽小地依戀他膝下，那被認爲仇敵的單思仍然蜷伏我的胸懷。

懺悔湧上心頭，熱淚滴滴滾落枕上。啊，我不應恨我的單思，
我實在棄不了牠！

民國十七年四月初版

天鵝集——實價三角

著者 朱溪

版權所有

1-2000

發行者 人間書店

發行處 上海閘北寶昌路輔德里第廿二號 人間書店

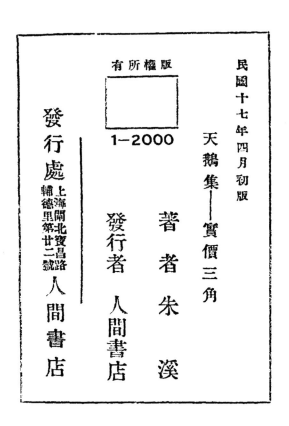

黃金（創作）

王魯彥著　不日出版

王魯彥的作品，似乎用不着詳細的介紹。因爲他的處女集柚子，已經替中國的文藝界闢開一條偉大而光明的生路；他的特殊的風格，深刻的描寫，豐富的想象力，和熱騰騰地活躍着的心，能使文壇老宿和高明的批評家感着極度的驚奇，毫不遲疑地給與中國第一流作家的位置，並付與成爲世界第一流作家的希望。方璧君在小說月報上做一篇洋洋數千言的王魯彥論，他對於魯彥的作品，比魯迅的作品更滿意，尤其讚美的是這篇黃金。現在我們把這黃金和其他的近作：毒藥，一個危險的人物，阿長賊骨頭，微小的生物……等篇，集成一冊，獻給愛好文藝的朋友們。朋友們讀了黃金之後，或者會覺得中國的文藝界不像往日所設想的那樣寂寞吧！

七封書信的自傳（創作）

魏金枝著　不日出版

——魏君用極流利的文筆，和獨創的體裁與風格，表現下層社會的心理，和人間矛盾的眞相。這種作品的價值，決不是躲在象牙塔裏的人們所能估量的，但人間總還有明眼的讀者吧。

回憶中底她
（文藝詩選）

劉冠悟 編

作者生平不詳。

革新書店（上海）一九二八年四月出版。原書三十二開。

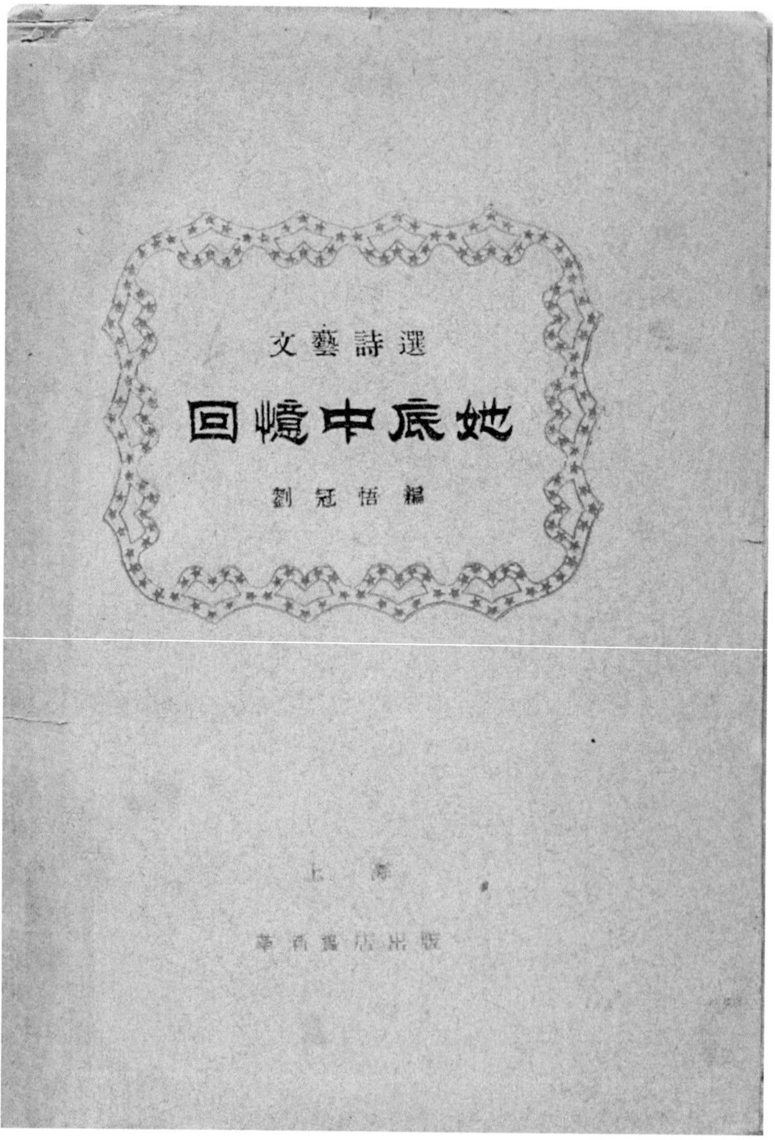
文藝詩選
回憶中底她
劉冠悟編
上海

文藝詩選

回憶中底她
及其他

上海
革新書店

纏綿悱惻　香艷絕倫

兒女柔情　英雄俠骨

——文藝詩選——

編輯者言

我覺得近年來中國文壇上的詩歌文字是不易多見的。雖然坊間也有幾部出版，但自有詩歌以來，現在似乎可算得一個最初的新興時期，那末在這新興時期的詩歌中，似有把牠眞眞有文藝價值的詩歌整理起來，彙編成册，使今後的人們，知道現在中國文壇上對于詩歌的作品熱烈地一讀了。

詩歌的搆成，不外「感慨」和「牢騷」二種條件。離開了這條件，不特毫無意義，並且還不能算詩歌了。我對于銷數日增的時民二報，却很歡喜讀，知道那些詩歌文字，都是名貴一時的結晶；專門引起人的興趣，緊張人的精神，究優究劣，，我不多說，讀過這二種日報者，便可知道我的言而不虛了。

（ 1 ）

——文藝詩選——

我承認凡是文藝化的短篇詩歌，便是最高的文學，而最高的文學，便是無論何人都能欣賞的作品。篇篇含有這樣透澈爽快的精神，加上作者用細膩的心思結搆起來，用生花的筆墨描寫出來，眞能感動讀者的心靈，解除讀者的煩悶，的確是好文章，好詩歌。

我明知這本詩要說什麼，就說什麼，沒有什麼體裁，更沒有什麼系統，公然大胆的把「回憶中底她」五字作書名，一定要受人譏罵無疑的。我本來是一個愚鈍無識的人，對于文字，沒有什麼多大研究，也沒有什麼工夫來研究，原是隨意編輯的，無奈何現在班署弄斧，馬馬虎虎說幾句，未免要惹起閱者的笑柄，還望當代文人恕我罷！

一九二八，四月，劉冠悟。

—文藝詩選—

目　次

—目　　次—

—文藝詩選—

—— 目　　　次 ——

——文藝詩選——

回憶中底她

唐少瀾

滿腹牢愁，
　深深困住煩悶的我；
　教向何處拍賣啊？

✣　✣　✣　✣

喜鵲在樹椏上不住地叫着，
　狂風嗚嗚地吹着，
　　右一陣，左一陣；
　　很平靜的水也作起波浪來了！

✣　✣　✣　✣

殘缺的月兒，
　已經上了樹梢了；

(1)

淒涼的西子湖畔，
靜悄悄地站着我們倆：
一回兒嘻笑，一回兒流淚。

✣ ✣ ✣ ✣

我深深地感謝她——
我青春期的歷史，
她爲我裝飾了不少！
倘然，沒有她爲我裝飾，點綴；
那我青春期的歷史，
早已湮沒而無存在的可能了！

✣ ✣ ✣ ✣

我倆的生命之絃，不約而同地顫動着。
發出了一種悲哀的反應——
嘆息，唏噓！

她怕羞似的安慰我說：

『自愛，努力！』

✣ ✣ ✣ ✣

經驗告訴我們——

世界上的一切沒有一樁能滿足我們的慾望的呀？

「傷心」，「快樂」；都是一時昏沉的表示罷？

—文 藝 詩 選—

記　　夢

聞家驷

『瞧，朋友。穿白衣服的，
那就是我的王憶痕。』
我夢在課堂的窗外，
同藝偷看他的愛人。
他用心指，我用心看，
但我要看總看不清。

✤　　✤　　✤　　✤

『那全身穿白衣服的，
梳辮子的就是憶痕，
你瞧他正拿着紙筆，
在起手創一幅畫景。』

（4）

但別人也有穿白的，
畫畫的也不準是痕。

✤　✤　✤　✤

『你瞧那第二排桌子，
她的座位是第五名，
你數着往那邊瞧罷，
這回包管是瞧得準。』
但我照着座位數去，
數到第五偏沒有人。

✤　✤　✤　✤

『你再仔細瞧罷，說來
你這個人，眞是苦命，
自己沒有得看，要看
別人的愛也看不成。

分明是她坐在那裏，
怎會是空着沒有人？』

✣ ✣ ✣ ✣

這回看那空的座位，
到有個閃動的人影。
我正想看一個淸楚，
叮噹的鈴響了幾聲，
課堂裏又擾動起來，
我要再看也看不成。

—文藝詩選—

眼　淚

蔣憶湖女士

眼淚裏過的生活，

苦是苦了；

但是眼淚沒有時，

倒又覺着眼淚底甜蜜。

✥　✥　✥　✥

吵嘴也罷，

相打也罷——

反正是人生應有的戲劇。

可是吵過了，打過了，

怎禁得淚如雨下，心如刀割？

✥　✥　✥　✥

（7）

看得太久了，
看出討厭來了！
不見了二十四小時，
依依不捨的情景，
　又湧在胸頭了。

✣　✣　✣　✣

我知道的：
　眼淚是愛之花，
　打罵是愛之波紋，
　討厭是愛之陰影。
只要愛留存時，
任憑什麼，都出於眞情。

—文藝詩選—

潯陽曲

唐圭璋

一片江月，
照着楓葉蘆花。
可笑他江洲司馬，
千呼萬喚那商婦的是他，
淚溼了青衫的也是他。
他倒是歌哭無端的司馬！

✣ ✣ ✣ ✣

說起了江洲司馬，
却不能不怪他：

✣ ✣ ✣ ✣

你聽聽琵琶也罷，

不該又問她飄泊的傷心話；

你只聽琵琶，

會使你忘却謫謫在天涯；

你聽她細訴根芽，

你的青衫淚溼不是你自家？

✣ ✣ ✣ ✣

說起了江洲司馬，

却也不能怪他：

他便不聽琵琶，

不聽傷心話；

他一掬辛酸淚，

也要向江天的月兒灑；

便不向江天的月兒灑，

怕瑟瑟的楓葉蘆花，也不由他。

——文藝詩選——

山花及其他

渾　　沌

　　這一朵山花，
紅得比胭脂還要濃；
　　這一朵山花，
是偷了她那嘴唇上的紅。
　　我正在奇怪，
她嘴唇怎麼這樣白？
　　我正在奇怪，
那裏去了，她嘴唇的顏色？

❖　❖　❖　❖

　　這一隻黃鳥，
叫得比琴還要清新；

（ 11 ）

這一隻黃鳥，
是偷了她那嬌絕的聲音。
我正在奇怪，
怎麽她再也不講話？
我正在奇怪，
怎麽不叫哥哥，也不詛駡？

✣ ✣ ✣ ✣

這兩顆星星，
好像她的兩隻眼睛；
這兩顆星星，
是偷了她那眼睛的光明。
我正在奇怪，
她怎麽再也不開眼？
我不必奇怪，

她就閉了眼，也是看不見。

✣ ✣ ✣ ✣

這一泓流水，
兩岸都是紅的楓葉；
這一泓流水，
是偸了她心兒裏的鮮血。
我正在奇怪，
她的心怎麼不再跳？
我正在奇怪，
我還在愛她，她却不知道。

✣ ✣ ✣ ✣

這一塊白玉，
白得像少女的粉頸；
這一塊白玉，

比她的皮膚是一般的嫩。

　　我正在奇怪，

她臉色怎麼會變青？

　　我正在奇怪，

棺材裏還有沒有那屍身？

—文藝詩選—

雷　　雨

謝未之

我不怕大砲洋槍，
我只怕雷火電光。
　　大砲打死了我，
人家說我是戰死疆場。
　　要是遭了雷火，
他們要罵我害了天良。

❖　❖　❖　❖

總之不該搶錢莊，
更不該強姦三娘。
　　帶了花銀三百，
就脫下一身灰布軍裝，

（ 15 ）

和麻子王大德，
從娘子關起逃到武昌。

✣ ✣ ✣ ✣

也不該槍斃小張，
又把包得勝打傷。
害得他娘吊死，
他妻子投河，家破人亡。
害得那個小子，
討飯叫化流落在漢陽。

✣ ✣ ✣ ✣

我十五歲離家鄉，
十六歲當兵吃糧。
今年一十九年，
沒一年不肩洋槍，不忙：

—文藝詩選—

　　直隸打倒奉天，
山東不算又打倒浙江。

❖ ❖ ❖ ❖

我不怕大砲洋槍。
我只怕雷火電光。
　　大砲打死了我，
人家說我是戰死疆場。
　　要是遭了雷火，
他們要罵我害了天良。

(17)

—— 文 藝 詩 選 ——

法國公園之夜

陳 曉 光

一個中年的婦人，
看着樹影下出來的對對的情侶
好像出神；
雖則她身邊的小孩纏擾嚕囌，
她總於不聞！

✣ ✣ ✣ ✣

纔言後又各自低首無語，
羞却地，甜蜜地，
在各自默誦着初戀時，
神秘的，美妙的，愉快的，
功課的時候。

—文藝詩選—

✣ ✣ ✣ ✣

一對年老的夫妻，
緊坐着並肩私話。
青年們！
我願你們的情愛，
也到白首！

✣ ✣ ✣ ✣

一個衣服漂亮的青年，
跑到這邊，
又到那邊；
像在尋什麼東西？
總於不見！

—文藝詩叢—

心　笛

蔣浩如

我有一管心笛，
總沒有吹過一曲；
埋沒在寂滅的荒墓中，
影單而形獨！

✣　✣　✣　✣

我本想盡力吹它，
但是有誰和它？
自尋悲哀淒涼吧！
我終於不敢吹它！

✣　✣　✣　✣

我堅信我的心曲，

它是深如邱壑；

臟腑都歷歷吹出！

但是只有她才能領略！

✤　✤　✤　✤

我堅信我的心曲，

定是甘如醴酪；

情的槳，情的酵！

但是只有她才能嘗着！

✤　✤　✤　✤

我甯任它寂寞！

我甯任它零落！

除非她，打動了我，

命我吹出我底心曲！

—文藝詩選—

湖上詞

珩 紫

最可愛的，

湖上黃昏。

小語，微風，

一樣的，

一樣的温存。

我們在烟波盡處，

做了個

神仙中人。

❖ ❖ ❖ ❖

湖堤上

緩緩經行；

—文藝詩選—

挽着手兒，

把舊遊蹤跡搜尋。

搜尋，

那裏風燈零亂。

有一個

往日的離情。

✣ ✣ ✣ ✣

雖然我也來遲，

湖堤上

還有花枝。

葡萄酒，

儘量吃；

莫管他，

春消逝！

（ 23 ）

—文藝詩選—

❖ ❖ ❖ ❖

『明日啊
又送君行！
未相見
便想到
別離的情境；
自從相見，
一顆心
放不下
到如今！』

❖ ❖ ❖ ❖

愛人啊！
不要傷離。
這好比

—文藝詩選—

銀塘上
多了些
輕微的漣漪；
這好比
秋山路
多了些
縈紆的美麗。

❖ ❖ ❖ ❖

『別了！
何日重來？』
『那時候，
那時候呀，
紅藕花開。
別了，
記取他紅藕花開！』

(25)

—文藝詩選—

失戀中

擣玉

我愛！記否？

去年冬歸，邀我作陪；

光復門外，大慶樓頭。

那時候——

委情談往事，

忘却人世愁。

❖ ❖ ❖ ❖

我愛！記否？

我說：『我愛你能幹，我愛你敏慧。』

你報我以微笑，向我微嗔。

那時候——

—文藝詩選—

我底心神，搖蕩而沈醉！

❖　❖　❖　❖

我怕人家嫉忌，怕人家取笑，
收起我怒放的心潮，種下更深的情苗。
但是，我愛，
你始終是我底至寶呀！

❖　❖　❖　❖

莫聽無稽的謠傳，莫信無謂的流言。
也不必管那形式上的隔絕疏遠，
但願；——
兩心常如金石堅。

❖　❖　❖　❖

我愛！記否？
去年冬歸，邀我作陪；

光復門外，大慶樓頭。……

而今呀，——

凄涼其遇，不堪回首！

—文藝詩選—

失戀後

黃煜庭

黃鶯鶯，

請你飛去罷！

嘹嚦的歌聲，

激起我無限的酸淚！

✣ ✣ ✣ ✣

月姊，

你也是和我爲難了！

當我欲睡未睡之前，

你底光兒爲甚麼，

透進我的床邊？

✣ ✣ ✣ ✣

蟋蟀音樂師，
請恕了我罷！
當那幽靜的深夜時，
再不要挑動我的心絃罷！

——文藝詩選——

山　　遊

焦菊隱

蟬聲曳；玉人眠；

鶴垂首；花影亂。

午悶，獨立綠竹間。

✣　✣　✣　✣

泉潔如玉，少女試濯足；

閉目吟苦曲，欲哭，

佯望夕陽滿山路。

✣　✣　✣　✣

登浮圖，見得壁上詩，

多少豪華客，

無愁強賦傷心詞。

（ 81 ）

—文藝詩選—

✣ ✣ ✣ ✣

雲如夢，一帶晚烟朦朧。

能幾時才得山川崩，

使智慧與頑石不分明？

✣ ✣ ✣ ✣

歸來緩，明月出山晚。

傷情還未已，

又過這殘敗的圓明園！

✣ ✣ ✣ ✣

故人訝我山北邊，

竚候山光晚；

我自山南來，相見兩不歡。

✣ ✣ ✣ ✣

澈夜聽哇號；

—文藝詩選—

遊子歡快少，

才合眼，鷄鳴，又一清朝。

—文藝詩選—

悵惘的心潮

滄　浪

月缺了有圓時，

花謝了有開時，

枯死了的蘿篠，

也還會復活如初；

我的心潮，啊！已乾涸了！

可也會追回我已往的歡娛？

✣　✣　✣　✣

她那總要低着頭的倩影，

不住的在眼前亂映；

我索性把眼睛兒閉着，

細心地把她思量。

我要搜盡了我的枯腸，

我要想乾了我的腦海，

回憶着她櫻唇微啓時，

那粉白臉兒泛起一朵紅雲的嬌狀。

噯！萬般癡情的我，

她又可曾，啊！放在心上？

✣ ✣ ✣ ✣

我一連放出了多少傳書的鴿兒，

一天，二天，三天………

一星期，二星期，三星期………

啊！終沒見她隻字的回音！

綠衣人每次來時，

我都以爲帶有她的使命；

急忙地檢着看時，

啊！都是些不耐煩的信！

我要咀咒，咒咀那惡作劇的綠衣人，

你是那掌管煩惱底網的凶神；

我也受盡你萬般的欺凌！

噯！綠衣人喲！

你可曾聽見我這般悲切的呼聲？

✣ ✣ ✣ ✣

我縱嘶乾了咽喉，

她何曾諒解我悵惘的心潮！

或許是她已悔誤，

悔誤她把神聖的情愛誤投！

也許是黑暗社會的魔力，

使她感着她的人生：

像青萍般無定地漂浮了！

—文藝詩選—

✣ ✣ ✣ ✣

我總要靜心地等候，
明天，後天，…………最後的一天；
她縱不愛我時，
我總希望有最後言絕的一箋！

✣ ✣ ✣ ✣

枯死了的籐兒，
也還會復活如初；
我的心潮，啊！已乾涸了！
可也會追回我已往的歡娛？

(37)

—文藝詩選—

飄泊的心情

湯增敭

我的身被禁錮在輕舟裏載向浦江，
有似一片辭枝殘葉淪冽在水面飄盪；
前途厄運未卜，渺渺，茫茫，
過去的不幸仍在心中悠悠地哀傷！

✤ ✤ ✤ ✤

素平遠隔着雲山寄寓遼遠的西方，
我獨自站在鷁首靜謐地注目翹望。
天涯飄泊的愁腸寸寸欲斷，
那裏，那裏能見伊的柔媚面影。

✤ ✤ ✤ ✤

憔悴落霞泛着慘澹微笑，

——文藝詩選——

晝夜不息的波濤嗚咽歌唱，
金風殺殺地吹着蕭灑的白楊，
悲哀心弦織成了一個「灰色愛網」。

❖　❖　❖　❖

自恨不能化隻美麗的飛鳥，
異鄉淪塞的哀音使伊知曉；
流浪的流浪的凄酸眼淚，
涔涔地滴在縹緲的水上。

❖　❖　❖　❖

我的身被禁錮在輕舟裏載向浦江，
有似一片辭枝殘葉淪列在水面飄盪；
前途厄運未卜，渺渺，茫茫，
過去的不幸仍在心中悠悠地哀傷！

(39)

—文藝詩選—

梅花

吳伴雲

(一)

太陽射出慘澹的光芒，
習習的晚風在空中蕩漾，
我徘徊於幽寂的曠野，
對着燦爛的梅花凝望。

✣ ✣ ✣ ✣

我踯躅於樹旁灰白的道上，
悄悄地，對着荒草叢中的千年石像。
太陽西墮，雲時間，暮色蒼茫，
四野無人，只有我凝立在臘梅樹旁。

✣ ✣ ✣ ✣

—文藝詩選—

遠遠地傳來，悽愴的犬吠聲浪，
怨蟲的悲調，隱隱地，像是在碎石中央；
還有那野寺中晚禱的鐘聲，
來伴着我底女神呀，我底姑娘。

❖ ❖ ❖ ❖

哦！過去的生命通是在失望中消亡，
苦悶的血淚換來是不治的疽瘡；
徜徉在伊甸園外，徜徉，徜徉，
廣漠的世界，何處是我底故鄉？

❖ ❖ ❖ ❖

我底心旌是這麼飄揚，
我底前途是這麼渺茫；
但是，在記不清楚的年月裏，女郎，
我底漂泊的人生曾寄託在你底身上。

（ 41 ）

—文藝詩選—

✣ ✣ ✣ ✣

親愛的姑娘啊！我的女王，

我爲你憔悴得這般模樣，

身世淒涼，往事如夢一場，

我願我底心呀，再莫有絲絲奢望！

（二）

啊，是一個初冬的晚上，一個初冬的晚上，

冷酷的北風在萬籟俱寂的空中吹蕩，

蕭蕭的黃葉，沙沙地，一片 ， 兩片 ， 三片

……

在黑暗的地上和死神作最後的振顫。

赴會的人兒悠揚地唱着勝利的戀歌；

有人默默地走着，我便是其中的一個。

電燈射出她那神聖的愛的光明，彷彿，

彷彿說：『歡迎你們的駕臨，歡迎，歡迎，』
沉靜的洋房裏，歌聲悠揚，
我初次看見美人，天仙，是在這天晚上。

✣　✣　✣　✣

哦！最可留戀的那天晚上，
我的天使啊，我的女神。
我徬徨在伊甸園外，徬徨，
默默地對着女神凝望。
我願我的身呀，
永遠在這臘梅樹下歌唱！

(三)

伊底眼兒是怎樣的表現伊幽靜的性情！
伊底眉兒是怎樣的表現伊可愛的青春！
伊底面龐是那樣的嬌嫩，端莊，

伊底眼仁是那樣的明淨，清瑩，

伊底身材又是怎樣的勻稱，娉婷：

那嬌嬈的雙肩，那凝指的後頸，

琥珀的撇針，在伊髮上映出璀璨的光輝，

還有伊臉上的笑渦呀，充滿了豐美的愛意。

我着了一件破襤的長衫，伊披着一襲玄色的外氅，

啊！伊那純潔的心情！

無時不表現着光明嚴正。

伊底嫵媚的姿態，伊底豐富的情感，

伊底一切呀，一切都在我的心裏馳騁！

✣ ✣ ✣ ✣

哦！伊底一切都在我的心裏馳騁，

我底天使啊，我底女郎，

我飄零在伊甸園外，飄零，
默默地對着女神凝望。
我願我底身呀，
永遠在這臘梅樹下歌唱！

(四)

我無聊地虛度了十九年光陰，
神聖的血淚，漬滿了我漂泊的生命。
鎮日價狂飲着愛的醪醇，
可愛的青春都斷送給伊了——我親愛的女神。
如今自由，情愛，已成了過去的泡影，
在流浪的人生中鐫着永生不可磨滅的傷痕！

✣ ✣ ✣ ✣

啊，廣漠幽暗的世界呀，一望無垠；

—文藝詩選—

無去路，無歸宿，孤悽地不知漂泊何城？
啊，虛僞陰險的人類呀，冷酷無情，
無兄弟，無父母，我永久是孤苦仃伶。
如今自由，情愛，已成了過去的泡影，
在流浪的人生中鐫着永生不可磨滅的傷痕！

✣ ✣ ✣ ✣

我曾狂吻過漂流無定的浮萍，
漂流無定的浮萍呀 ， 是我底凄涼生命的象徵，
我常徘徊於荒塚纍纍的孤城，
荒塚纍纍的孤城呀，是我殘骸歸宿的墓塋。
如今自由，情愛，已成了過去的泡影，
在流浪的人生中鐫着永生不可磨滅的傷痕！

✣ ✣ ✣ ✣

——文藝詩選——

漫漫的長夜已過，我底大夢方醒，
我方深深地醒悟，誰是我底知音？
我願伊還是當年那樣年青的女神，
還是依然表現着可愛的青春。
如今自由，情愛，已成了過去的泡影，
在流浪的人生中鐫着永生不可磨滅的傷痕！

✣　✣　✣　✣

漫漫的長夜已過，我底大夢方醒，
我要永遠地，永遠地跳出那「死宮之門」。
不敢再佔有伊底神聖的愛的光明，
就這樣永生的做一個漂泊的詩人。
如今自由，情愛，已成了過去的泡影。
在流浪的人生中鐫着永生不可磨滅的傷痕！

✣　✣　✣　✣

—文藝詩選—

我將葬身在那幽寂的西子湖濱，
顧伊能有一次去尋訪我底墓塋！
我要盡量地哭訴我對伊的苦心，
我對伊的苦心呀，到那時總能訴盡！
如今自由，情愛，已成了過去的泡影，
在流浪的人生中鐫着永生不可磨滅的傷痕！

—文藝詩選—

暮

蔣浩如

晚來的秋風吹起了幾朶淡雲，
她們是無心的吧，
爲什麽老是依依在山岫？

✣ ✣ ✣ ✣

小鳥兒也倦了，
無聊的碎聲，
是心絃最後的餘音。

✣ ✣ ✣ ✣

夾溪一帶濃綠的垂柳，
在微風裏舞着輕影，
快樂的心境呵！

(49)

—文藝詩選—

✣ ✣ ✣ ✣

將落下的太陽，

不是還放射他金色的聖光？

該是戀着白晝而難捨啊！

✣ ✣ ✣ ✣

他們是勞苦極了——做了一天的工作；

但是他們高歌着，

背了月兒回來了。

✣ ✣ ✣

初出的月兒，

怕是羞見一切。

她裹着雲裳，

放出他淡淡的光輝。

✣ ✣ ✣

——文藝詩選——

池塘裏的水映着那碧空的星神，

也受了暮風的吹弄，

皺起了微微的波紋。

—文藝詩選—

夜月

蔣浩如

風是靜寂了，
雲是飛散了，
淡月兒却已高掛樹梢。

✣ ✣ ✣ ✣

青森的樹林，
稀疏的星，
都映着淡月色的銀紋。

✣ ✣ ✣ ✣

樹林後——漠漠河，
怒濤的狂歌；
只見裏面散佈着幾點燈火的殘波。

—— 文藝詩選 ——

✣ ✣ ✣ ✣

客鄉的月，

總覺得有幾分不同！

總覺得有幾分朦朧！

✣ ✣ ✣ ✣

我不敢走向那河邊，

濤聲最易激起我心嵌的奔泉！

異鄉的愁情，我不敢走向那邊！

月夜

擣玉

萬籟沉寂時，月光分外明，
清清楚楚地，照出我底陰影。
我立也立，我行也行。

✣ ✣ ✣ ✣

上空樓，錦幕虛涼，
羅幃前，對影獨彷徨。
問蒼天：「今夜吳江月，也是這樣？」

✣ ✣ ✣ ✣

我私慕的人兒呀，
不絕地在我眼前閃爍，腦底縈絧。
有一朝否，也得形影相隨？

—— 文藝詩選 ——

秋　　感

楊佩文

秋雨打落了黃葉，
秋風吹斷了蟬鳴；
聽一聲兩聲的雁唳，
深動我飄泊無依的心靈！

✣　✣　✣　✣

我憶起了春花的殘跡，
我憶起了髫齡的逝影；
這些夢裏的輕烟，
在我廿年的青春裏，曇花也似的一現！

✣　✣　✣　✣

我將奮臂拔刀，迸流熱血，

不顧身碎，不怕頭折；

我看不過舊的妖氣，

我看不過新的共孽！

——文藝詩選——

秋之夜

珩　紫

屋簷外圓月兒姍姍的來臨；
粉牆上淡淡的畫着疏疏的花影；
這秋宵的景色！
這寂寞的中庭！

✤　✤　✤　✤

四野悲鳴；
草蟲兒也會哀吟：
我慢慢的踱着，
我悄悄的諦聽。
碎了，碎了，憔悴的秋心！

✤　✤　✤　✤

（ 57 ）

院門外一片空明。

小河畔莎莎的像有人行。

『不要怕喲，明明！』

我低低的，低低的喚着她的小名。

✣ ✣ ✣ ✣

漁船上燈火星星。

是小寶寶醒了，

媽媽的睡歌，和着他啼哭的聲音。

我的親愛的千里外的雙親！

你們的孩子在流淚了——

你們聖潔的啊，聖潔的恩情！

—文藝詩選—

中秋月

志　　摩

我今晚是一摶的快活，
海水洗凈了我的污濁；
獻媚的雲彩像是密蜂，
我是它們香甜的花叢。
高山深谷都對我留情，
我睥睨着高傲的松林。
我肥肥的在天空裏飛，
偉大的星斗沒了光輝！

✣　✣　✣　✣

天空他不嫌我的霸道，
他可明白，明白我的糟！

(59)

什麼是白兎，什麼是樹，——
分明是老殭屍的乾枯！
說什麼皎潔，什麼團圞，——
我有的是醜怪的疤瘢！
就這光，我那有這淸光，
要不是老陽，他的幫忙？

✣ ✣ ✣ ✣

可笑是世上人的無聊，
這眼睜睜的對着我瞧；
誇我的美，誇我的豐腴，——
你說我怎麼能不得意！
得意——這蜂窼似的雲彩，
給踹成了破爛的瓦片！
海水一見我也着了魔，

魔鬼蹲在浪花裏唱歌！

✣ ✣ ✣ ✣

我又會做賊：蜒上了牆，
掩進了無抵抗的樓窗；
啊，今晚那一家的秘密
不被我偸看一個親切！
多謝這黑暗給我機會：
黑暗獎勵了我的虛僞；
圓滿——我是萬有的主宰，
在這光明死了的世界！

—文藝詩選—

深　　夜

丁　　丁

深夜倚歇的林邊溪頭，
月光皎皎映澈了黑暗，
秀髮披蔽的孤零少女，
手棒着頭坐着默默。

✣　　✣　　✣　　✣

她回憶去年今日。
在這野花爭妍的溪頭；
也是這樣幽靜的夜裏，
流水頌美他倆的擁抱。

✣　　✣　　✣　　✣

一度的寒暑更迭，

毀滅了她過去的快意；

流水仍是不息地低吟，

可是郎君已迢隔千里。

✣ ✣ ✣ ✣

她願化爲一縷遊絲，

隨着微風各處飄飛；

等到遇見郎君的時候，

就在他心上輕輕黏住。

✣ ✣ ✣ ✣

她設想她的郎君，

也是這般地遠懷，

頻頻揮淚吁氣，

對着這清明的月輝。

✣ ✣ ✣ ✣

當她黏上他的心時，
她可聚集已碎的心片；
她可細細地重復砌成，
她可磨滅已成的傷痕。

✣ ✣ ✣ ✣

或是化爲一片殘葉，
隨着流水到處漂浮；
她可跳進他的水桶，
遇見郎君汲水的時候。

✣ ✣ ✣ ✣

她設想她的郎君，
或者是更屬傷神，
舉目無親的異鄉；
只能向着筆光伸訴。

——文藝詩選——

❖　❖　❖　❖

當她跳進水桶的時候，
她知道郎君會得認識；
會得掇起含在嘴裏接吻，
會得輕輕藏進胸懷擁抱。

❖　❖　❖　❖

她的思潮蒙蔽了她的知覺，
使她毀滅了目前的世界，
當她輕歌謾舞的時候，
她已踏進了甜密的夢鄉。

—文藝詩選—

思親

叔夜

窗外的月兒慘傷，

　　床頭的燈兒暗淡；

身爲遊子，

　　心在故鄉，

　　　淚珠兒早已盈！

✣　✣　✣　✣

『每逢佳節倍思親』，

　　怎當這「無親可思」的慘痛呢！

同是新年除夕日，

　　那還有今歲的凄涼！

故鄉遙望——歸程何處？不禁斷腸！

——文藝詩選——

✤ ✤ ✤ ✤

這樣渺乎小哉的人生喲，

怎樣得幾多回憶？

『誰知一別成永訣，

今日回家空斷腸』：

嗚呼！我底親愛的父親呀！

—文藝詩選—

念　鄉

錢　盈

月明如洗，
太空無一點雲翳，
夜寒淒淒；
問兒心何依？

✣　✣　✣　✣

長眠的雙親呀！
那裏是你的英靈？
坟前的荒草蔓延，
落葉又被風吹起。

—文藝詩選—

我不認識你

羅鳳彩

我不認識你！

　怎能嫁你？

若是嫁了你，

　「愛」在那裏？「情」在那裏？

✣　✣　✣　✣

　你不要苦纏我，

　我不要抱怨你。

　天下有許多姊妹；

　天下有許多兄弟；

　你何必苦纏我？

　我何必抱怨你？

(69)

—文藝詩選—

✣　✣　✣　✣

我身是我的，
你身是你的；
你也去尋個知己，
我也去尋個知己。

✣　✣　✣　✣

你不要提起「老親戚，」
那都是「前代」關係；
你不要提起「算命的，」
那都是「迷信」誤你！
好男兒，要自立；
好男兒，毋自棄！

—文藝詩選—

赴　　敵

陶百川

曉角遙吹，
催動了我的桃花騎。
他奮鬣長鳴，
聳鞍振轡，
要我先爲備。
那知道他的主人
這次心情異？
我扶着劍兒，
倚着馬兒，
不自主的流下幾點英雄淚！

✣　✣　✣　✣

(71)

—文藝詩選—

殘月未墜，

曉山凝翠，

湖上的春風，

吹得吾心魂醉。

休想殺得個敵人，

我無有精神！

昨夜不曾睡！

我扶着劍兒，

倚着馬兒，

不自主的流下幾點英雄淚！

❖　❖　❖　❖

昨夜燈筵，

幾個知人意？

朋友們握手拍肩

笑談輕敵，
只長我驕奢氣。
如今事到臨頭，
等閒相棄！
我扶着劍兒，
倚着馬兒，
不自主的流下幾點英雄淚！

✣ ✣ ✣ ✣

朝陽在地，
鳥聲相媚，
迷湖裏捧起湖泉，
磨着劍兒試。
百戰歸來，
誰知此次非容易？

—文藝詩選—

我扶着劍兒，

倚着馬兒，

不自主的流下幾點英雄淚！

✣ ✣ ✣ ✣

曉角再吹，

餘音在樹，

遠遠地敵人來也！

匹馬單刀，

倉皇急遽，

向前去，

生生死死無憑據！

✣ ✣ ✣ ✣

家山何處，

一別便成落花飛絮，

等着些兒，

讓我寫幾個字兒，

託一託寄書使。

拜告慈親，

暴虎憑河，

只爲着無雙譽。

向前去，

生生死死無憑據！

✣ ✣ ✣ ✣

曉光下定神靜慮，

把往績從頭細數。

百萬軍中，

也曾尋得突圍路。

這番也只要雄心相護，

勇力相赴！

向前去！

生生死死無憑據！

❖ ❖ ❖ ❖

軒然一笑，

拔刃回顧，

已半世英名昭著。

此戰歸來，

便是安心處！

向前去，

生生死死無憑據！

——文藝詩選——

壯士的呼號

紫　　潭

鮮紅的礮彈如流星般地在太空裏飛舞，
黑暗中颼颼地如聞鬼語！
一切都在隱藏着，
惟有頑強的敵寇還在火光的下面呻呼！

✣　　✣　　✣　　✣

悲壯的軍笳鳴了！
兩軍短兵相接了！
衝呀！殺呀！殺開一條血路！
從惡魔們的手中，
奪回了美麗的國土！

✣　　✣　　✣　　✣

（ 77 ）

有爲的青年呀！

起來罷！起來罷！

放下了手中的葡萄美酒！

抛去了甜蜜的吻，柔的擁抱！

張開大纛旗，

到前線去廝殺呀！

✣　✣　✣　✣

沒有極大的破壞，

那有偉大的建設！

沒有重大的犧牲，

那有新的光明！

✣　✣　✣　✣

努力呀！衝鋒呀！廝殺呀！

新的光明隱在東海的巢中，

從待曉的濃烟中隱約地可以看見！

讓我們來鼓噪喊吶喚醒她罷！

—文藝詩選—

送 別

饒孟侃

—給仲明—

我想對你說句離別的話，

但是但是叫我怎麼樣講。

好的都讓前人給說盡了，

我又不願去借別人的光！

這樣一晚上沒打定主意，

從雞初啼到紙窗兒透亮。

✣ ✣ ✣ ✣

我又想找一件禮物送你，

這事情這事情也够爲難。

古琴寶劍如今那兒會有，

又搬移不動那黃河泰山；

無意中拾到一片海棠葉，

想送你宅可惜已然凋殘。

文藝詩選一

別　後

聞家駟

爸爸他一早就走了嗎？
你爲什麼不叫醒我，媽？
到底北京有什麼事情，
昨天來的那是誰的信？
爸爸要幾時才得囘家，
他要趕囘來過中秋嗎？

✣　✣　✣　✣

後天，媽，後天就是中秋，
又到了看月亮的時候！
呵，這天晚上多麼好玩，
媽，爸爸說過還要划船！

爸爸說這是他頭一趟，
和我們一塊兒看月亮！

❖ ❖ ❖ ❖

北京到底有沒有中秋，
你曾經問過爸爸沒有？
北京的月亮發不發亮，
是不是和這裏月一樣？
要不是爸爸趕不到時候，
他不又少過一個中秋？

—— 文 藝 詩 蓬 ——

可 憐 蟲

陳 漫 哉

我從今再不能愛你，
你失去了媚人的美麗。
臭惡的花有誰賞呢？
祇有讓野狗踩成爛泥。

✣ ✣ ✣ ✣

我也不能愛你，今天！
昨晚已不見你的炊烟。
我固然失去了美麗，
誰叫你也失去了銅錢？

——文藝詩選——

求求你

庚　　癸

求你把燈燃得明亮，
永遠照在海濱的路上。
那邊走來了一個孤獨的游子，
他快要迷途了，
他如果不見了燈光。

✣　✣　✣　✣

求你把燈吹熄了罷，
永遠不讓牠放出光明。
前面走來了一個可怖的魔鬼，
他快要撲向我身上來，
他如果見了燈光。

(85)

—— 文 藝 詩 選 ——

痛　快

聞 家 駟

雖說是幾滴淚珠，
抵得過一陣秋雨；
它洗淨了滿面的風塵，
又給焦唇得一番滋潤。

❖　❖　❖　❖

雖說是幾滴淚點，
勝過渾身的大汗；
它排淨了滿心的煩悶，
又給靈魂洛一個晶瑩。

——文藝詩選——

諷東鄰

蘇　　鳳

夜鶯在枝頭儘叫，
　心已靜寂的要死了！
春光偏會逗弄眷人——
　鄰家的姑娘呀，
　又重彈舊時的情調。

✣　✣　✣　✣

秋波慣送與人家，
——把戀給了我，
又把愛給他。
待我來說個明白罷：
莫沉醉在她手腕之下！

（ 87 ）

—文藝詩選—

娘

家驷

今天她攤派了五股——鴨梨，蘋果。
男的，女的，孩子照例有五個；
你瞧，瞧那領着了的喜得眞兒，
娘的額上，也掛起了一道光榮。

❖ ❖ ❖ ❖

是怎麼來的？分下來還賸一份；
她望着那沒有主的食品發怔。
忽然她良心上彷彿吃了一鞭，
原來是上年損失了一個心肝。

—文藝詩選—

找我自己

火雪明

做夢般的過去，

酒醉般的現在。

二十年行尸走肉，

只賸得未死的形骸！

✣ ✣ ✣ ✣

人生原只是死灰，

我在死灰中過活。

要從明鏡裏找看自己的影兒來，

兩三莖白髮，快被年光吹成雪堆！

—文 藝 詩 選—

燕　子

趙振龍

燕子來了，

把牠含來的花瓣，

種在江南。

造就花花世界。

✣　✣　✣　✣

燕子去了，

用牠剪形的尾巴，

裁碎美景。

變成紛紛落紅。

版權所有

編輯者：劉　冠　悟

發行者：革新書店

經售處：各大書局

1928. 4. 出版

實售大洋二角

總發行所

上海西門方浜路三〇三號

革新書店

本店新書一覽

絮語散文	青年的煩悶	實價五角
名著十輯	碎錦	實價五角半
文藝佳作	新說林	實價三角半
學界明燈	教員底生活與教授學	實價三角
純碎名著	現代文藝	實價六角
再版出書	吳稚暉與汪精衛	實價一角半
言論透徹	三民與CP	實售一角
赤俄眞相	共黨蹂躪兩湖記	實售二角
發售預約	中國現代婦女學全集	印刷中

本外埠各大書局代售